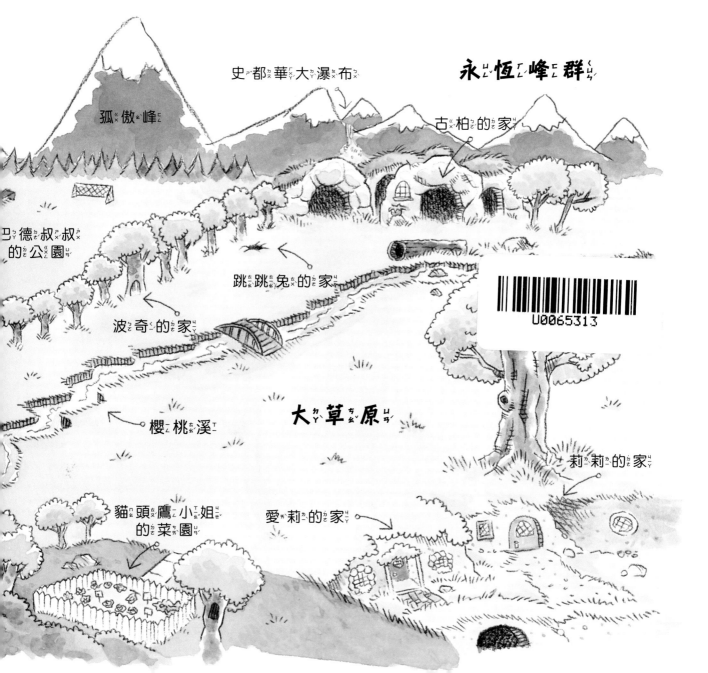

知識繪本館

幸福孩子的7個好習慣❹雙贏思維

山米與山核桃派

文｜西恩‧柯維 Sean Covey
圖｜史戴西‧柯提斯 Stacy Curtis 　譯｜黃筱茵

責任編輯｜詹嬿馨 　美術設計｜陳宛昀 　行銷企劃｜王予農

天下雜誌群創辦人｜殷允芃 　董事長兼執行長｜何琦瑜
媒體暨產品事業群
總經理｜游玉雪 　副總經理｜林彥傑 　總編輯｜林欣靜
行銷總監｜林育菁 　主 編｜楊琇珊 　版權主任｜何晨瑋、黃微真

出版者｜親子天下股份有限公司 　地址｜台北市104建國北路一段96號4樓
電話｜（02）2509-2800 　傳真｜（02）2509-2462 　網址｜www.parenting.com.tw
讀者服務專線｜（02）2662-0332 　週一～週五 09:00-17:30
讀者服務傳真｜（02）2662-6048
客服信箱｜parenting@cw.com.tw
法律顧問｜台英國際商務法律事務所‧羅明通律師
製版印刷｜中原造像股份有限公司
總經銷｜大和圖書有限公司 　電話｜（02）8990-2588

出版日期｜2023年4月第一版第一次印行
　　　　　2024年3月第一版第三次印行
定價｜280元
書號｜BKKKC233P
ISBN｜978-626-305-441-7（精裝）

訂購服務
親子天下Shopping｜shopping.parenting.com.tw
海外‧大量訂購｜parenting@cw.com.tw
書香花園｜台北市建國北路二段6巷11號 　電話｜（02）2506-1635
劃撥帳號｜50331356 親子天下股份有限公司

國家圖書館出版品預行編目資料

幸福孩子的7個好習慣.4,雙贏思維:山米
與山核桃派 / 西恩.柯維(Sean Covey)文；
史戴西.柯提斯(Stacy Curtis)圖；黃筱茵
譯. -- 第一版. -- 臺北市：親子天下股份
有限公司, 2023.04
32面；20.3×17.8公分. -- (知識繪本館)
國語注音
譯自：The 7 habits of happy kids :
sammy and the pecan pie
ISBN 978-626-305-441-7(精裝)

1.CST: 育兒 2.CST: 繪本

428.8　　　　　　　112001733

文／西恩‧柯維（Sean Covey）

富蘭克林柯維公司的執行副總，專責教育部門。

史蒂芬‧柯維之子，哈佛大學企管碩士。致力於將領導力原則及技能帶給全球的學生、教育工作者、學校，以期帶動全球的教育變革。

他是《紐約時報》的暢銷書作者，著作包括：《與未來有約》、《與成功有約兒童繪本版》，以及被譯成二十種語言、全球銷售逾四百萬冊的《7個習慣決定未來》。

圖／史戴西‧柯提斯（Stacy Curtis）

美國漫畫家，插圖畫家和印刷師，同時也是理查德‧湯普森（Richard Thompson）連環畫《薩克》的著墨人。柯提斯（Curtis）和他的雙胞胎兄弟在肯塔基州的鮑靈格林（Bowling Green）長大，年輕的史戴西（Stacy）夢想著在這裡創作連環漫畫。

譯／黃筱茵

國立臺灣大學外文系兼任講師。國立臺灣師範大學英語研究所博士班〈文學組〉學分修畢。曾任編輯，翻譯過繪本與青少年小說等超過三百冊，擔任過文化部中小學生優良課外讀物評審、九歌少兒文學獎評審、國家電影視聽中心繪本案審查委員等。近年來同時也撰寫專欄、擔任講師，推廣繪本文學與青少年小說。從故事中試著了解生命裡的歡喜悲傷，認識可以一起喝故事茶的好朋友。

獻給我聰明又充滿富足心態的兒子奈森，

他向來都是他的小弟弟偉斯頓最好的朋友

——西恩・柯維 Sean Covey

獻給我的雙胞胎兄弟特雷西

——史戴西・柯提斯 Stacy Curtis

幸福孩子的7個好習慣 ④ 雙贏思維
山米與山核桃派

文 / 西恩‧柯維 Sean Covey

圖 / 史戴西‧柯提斯 Stacy Curtis

譯 / 黃筱茵

7橡ㄒㄧㄤ鎮ㄓㄣ的ㄉㄜ朋ㄆㄥ友ㄧㄡ們ㄇㄣ

豪ㄏㄠ豬ㄓㄨ波ㄅㄛ奇ㄑㄧ

跳ㄊㄧㄠ跳ㄊㄧㄠ兔ㄊㄨ

小ㄒㄧㄠ熊ㄒㄩㄥ古ㄍㄨ柏ㄅㄛ

松ㄙㄨㄥ鼠ㄕㄨ蘇ㄙㄨ菲ㄈㄟ

臭ㄔㄡ鼬ㄧㄡ莉ㄌㄧ莉ㄌㄧ

松ㄙㄨㄥ鼠ㄕㄨ山ㄕㄢ米ㄇㄧ

老ㄌㄠ鼠ㄕㄨ愛ㄞ莉ㄌㄧ

松鼠山米和他的雙胞胎妹妹蘇菲平時感情很好。

可是，有時候他真希望她不要那麼厲害。

就像今天，嗚嗚老師在學校又說：

「哇！蘇菲，你又考一百分！」

「山ᵖᵖ米ᵖⁱ，你ᵖⁱ也ᵖⁱ很ᵖⁿ棒ᵖ喔ᵖ！」嗚ˣ嗚ˣ老ᵖ師ᵖ說ᵖ。

「真希望我和蘇菲一樣考一百分」……松鼠山米心想。

放學後，大家都去逛糖果店。

臭鼬莉莉突然問：「我們四個人加起來總共有一百四十元，這樣可以買多少糖果呀？」

「很多啦！」小熊古柏說。

「我們可以買三包干貝熊、兩隻巧克力蟲蟲，還有兩根幸運棒棒糖。」松鼠蘇菲說

「哇ㄨㄚ，蘇ㄙㄨ菲ㄈㄟ，你ㄋㄧ心ㄒㄧㄣ算ㄙㄨㄢ的ㄉㄜ速ㄙㄨ度ㄉㄨ真ㄓㄣ快ㄎㄨㄞ！」小ㄒㄧㄠ熊ㄒㄩㄥ古ㄍㄨ柏ㄅㄛ說ㄕㄨㄛ。
「對ㄉㄨㄟ呀ㄧㄚ，你ㄋㄧ的ㄉㄜ大ㄉㄚ腦ㄋㄠ一ㄧ定ㄉㄧㄥ很ㄏㄣ大ㄉㄚ，說ㄕㄨㄛ不ㄅㄨ定ㄉㄧㄥ和ㄏㄜ籃ㄌㄢ球ㄑㄧㄡ差ㄔㄚ不ㄅㄨ多ㄉㄨㄛ唷ㄛ！」跳ㄊㄧㄠ跳ㄊㄧㄠ兔ㄊㄨ說ㄕㄨㄛ。

「哇！山米，有『遮』麼『從』明的妹妹是什麼感覺？」老鼠愛莉問。

「就……還好吧！」松鼠山米邊說邊往回家的路上。

那天晚上，松鼠山米和蘇菲跟爸爸媽媽一起待在客廳。

「媽媽，你知道嗎？ 快要舉辦拼字小蜜蜂大賽了耶！」
松鼠蘇菲說。

「喔ゼ，蘇ㄙㄨ菲ㄈㄟ，你ㄋㄧˇ一ㄧ定ㄉㄧㄥ會ㄏㄨㄟˋ贏ㄧㄥˊ！ 山ㄕㄢ米ㄇㄧˇ你ㄋㄧˇ呢ㄋㄜ？ 你ㄋㄧˇ要ㄧㄠˋ參ㄘㄢ加ㄐㄧㄚ比ㄅㄧˇ賽ㄙㄞˋ嗎ㄇㄚ？ 」

「大ㄉㄚˋ概ㄍㄞˋ吧ㄅㄚ……」松ㄙㄨㄥ鼠ㄕㄨˇ山ㄕㄢ米ㄇㄧˇ興ㄒㄧㄥˋ致ㄓˋ缺ㄑㄩㄝ缺ㄑㄩㄝ的ㄉㄜ回ㄏㄨㄟˊ答ㄉㄚˊ。

「今天晚上我特別準備了山核桃派喔！」媽媽說。

「是我的最愛！」松鼠山米開心的說。

「希望你喜歡！」媽媽說。

「為什麼蘇菲的派每次都比我大？什麼都是她贏！」松鼠山米忍不住大吼，他跑回房間，用力甩上門。媽媽悄悄的跟著他進房。

「山米，你怎麼啦？」媽媽輕聲問。

「沒事……」松鼠山米說。

「小寶貝，有什麼事情讓你覺得困擾呢？」媽媽關心的問。

「嗯……大家都關心蘇菲，覺得她很聰明，這樣讓我感覺自己好笨。」

「 山米， 很抱歉讓你有這樣的感覺， 但是你也很聰明喔！ 」

「 我拼字小考從來沒考過一百分。 」松鼠山米說。

「 但蘇菲也沒辦法像你那樣建造出火箭模型呀！ 」媽媽說。

「 蘇菲表現得好， 不表示你就不厲害。 」

「這是什麼意思？」松鼠山米問。

「意思就是啊，有些人認為人生就像是一個派，如果有人得到一大塊時，自己能得到的東西就變少了。可是事實上，人生更像是在享用吃到飽大餐唷！每個人想吃多少，就吃多少。蘇菲可以吃一大塊派，你也可以呀。這樣一來，你們兩個都可以是贏家。」

「所以，如果這就像在吃吃到飽大餐，我可以再多吃一塊派嗎？」

「當然囉，你這個傻孩子。」媽媽說。

幾天後，科展的日子到了。

「嘿，大家聽我說，快來看山米的攤位，他超厲害唷！」松鼠蘇菲大喊。

「謝啦，蘇菲！你的攤位也很棒啊。」松鼠山米說。

「哇，蘇菲！你哥『葛』好『從』明喔！」老鼠愛莉說。

松鼠蘇菲露出微笑時，松鼠山米臉紅了。

「今天的科展太酷了！希望媽媽還有幫我們留一點派。」松鼠山米興奮的說著。

「對啊，只要我得到的是最大塊的派就好。」松鼠蘇菲對山米眨眨眼睛說。

「反正一定夠我們兩個吃吧。」松鼠山米說。

「最慢到家的人是膽小鬼！」

親子共讀小叮嚀

第 4 個好習慣：雙贏思維——人人都是贏家

我很欣賞我兩個小兒子奈森和偉斯頓，他們相差三歲，卻是彼此最好的朋友。讓我尤其感到自豪的，是他們會去參加彼此的運動比賽，互相加油，從來不曾嫉妒對方的好表現。對他們來說，其中一個人成功就等於兩個人都成功，這就是雙贏的精神——相信每個人都可以成功，無須獨占。

我希望我的兒子們永遠用這種態度面對彼此和他們的朋友們，可是我明白在我們這個高度競爭的社會，這並不容易。在我們成長的過程中，只要一不小心，嫉妒的感受就會溜進我們心底。此外，我們也時常發現別人的成功對我們具有威脅感，尤其是與我們最親近的人，他們的成功不知道為什麼總是令人特別在意，彷彿也會帶走我們身上的某一部分似的。

身為家長與師長，我們可以努力為孩子們灌注信心，教導他們雙贏的思考方式。首先，我們必須展現無條件的愛，不根據他們的不同表現展露不一樣的關愛。接著，要盡我們所能，避免使用競爭性的語言溝通，像是「你為什麼沒辦法像弟弟那樣，好好寫功課？」我們應該使用的語言，是肯定孩子的價值與潛能的話語，就像「你會這件事真的好厲害唷！」

讀這個故事時，記得告訴你的孩子：我們應該要跟松鼠山米一樣，練習不要嫉妒，也不要拿自己跟其他人比較。事實上，我們每一個人都是重要的，每個人的內在都不一樣，都獨一無二。

一起來討論

1. 松鼠蘇菲考一百分讓松鼠山米有什麼感覺？

2. 糖果店賣的所有糖果中，你最喜歡哪一種？

3. 晚餐後，松鼠山米為什麼不開心的離開餐桌？後來媽媽對他說了什麼話，讓他感覺好一點呢？

4. 松鼠山米製作了什麼作品參加科展呢？

5. 松鼠山米在科展上表現得很棒，松鼠蘇菲有什麼感覺？如果你的朋友在某件事情上表現得很棒，你又該有什麼樣的感覺呢？

你可以這樣做！

1. 畫一張圖，主題是你最好的朋友非常拿手的事。再畫一張圖，主題是你自己很拿手的事。

2. 你曾經把自己拿來跟另一個人比較嗎？那個人是誰？跟爸爸媽媽討論一下這件事吧。

3. 玩一項遊戲，不要在乎誰輸誰贏，只要好玩就好囉。

4. 幫忙家裡某個人一起做一項家事，一起合作，讓這件事能更快完成。

5. 用五分鐘的時間，稱讚家裡某位成員，說他們某件事表現得很棒。